يا طِفْلِيَ الْجَمِيلَ!

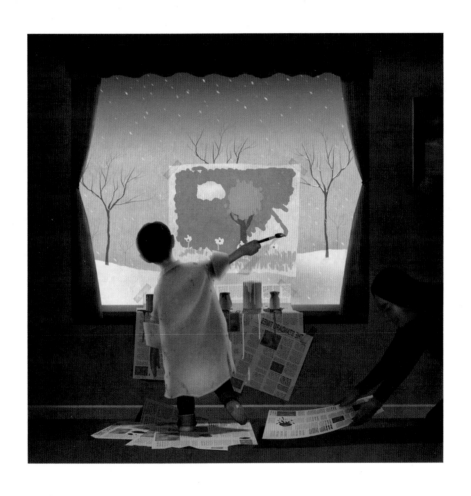

يا طِفْلِيَ الْجَميلَ!

تَأْليفُ: ليزا دَسيميني • رُسومُ: مات ماهورين

أُريدُ أَنْ أُرِيَكَ كُلَّ شَيْءٍ، يا طِفْلِيَ الْجَميلَ.

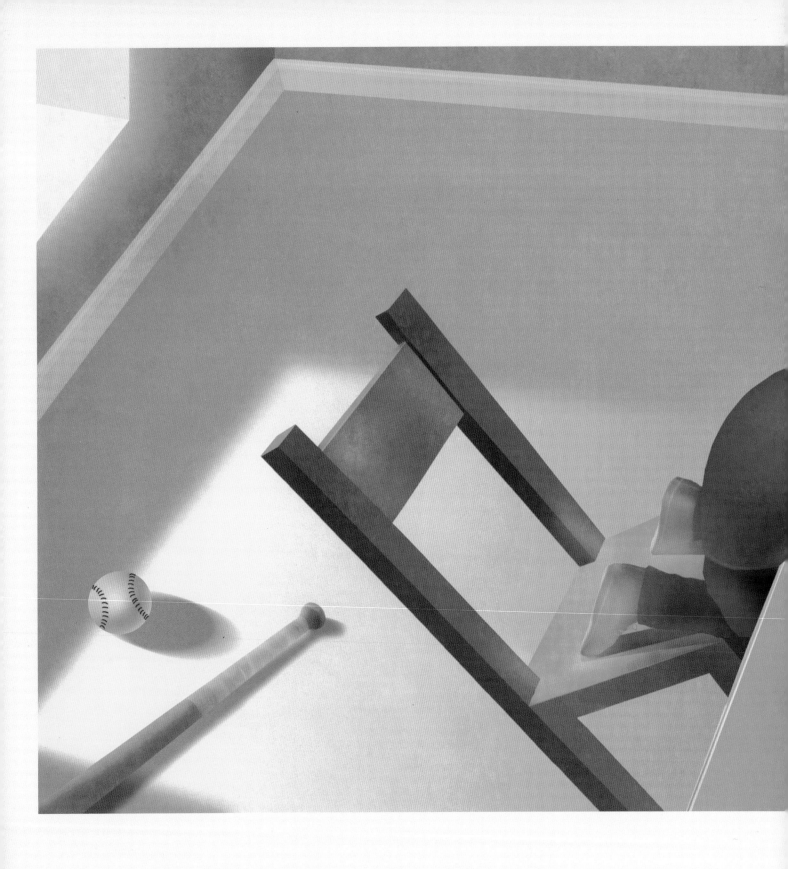

أُريدُ أَنْ أُرِيَكَ كَمْ هِيَ كَبيرَةٌ هذي السَّماءُ...

وَكَمْ هُوَ أَخْضَرُ هذا الْعُشْبُ...

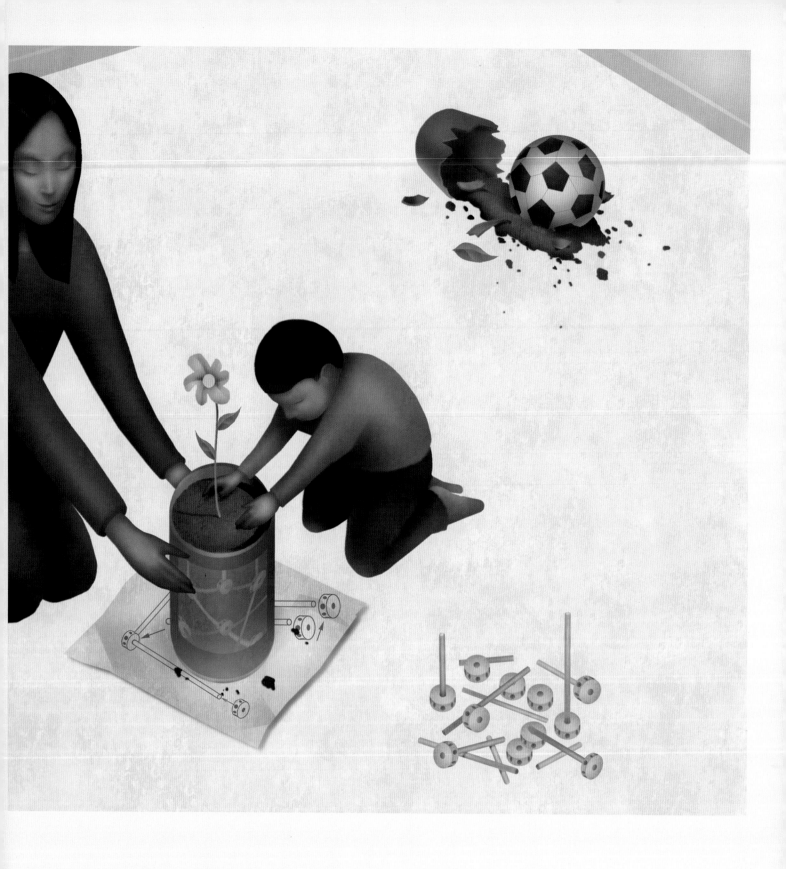

أُريدُ أَنْ أُرِيَكَ كَمْ هِيَ رائِعَةٌ تِلْكَ الزَّهْرَةُ...

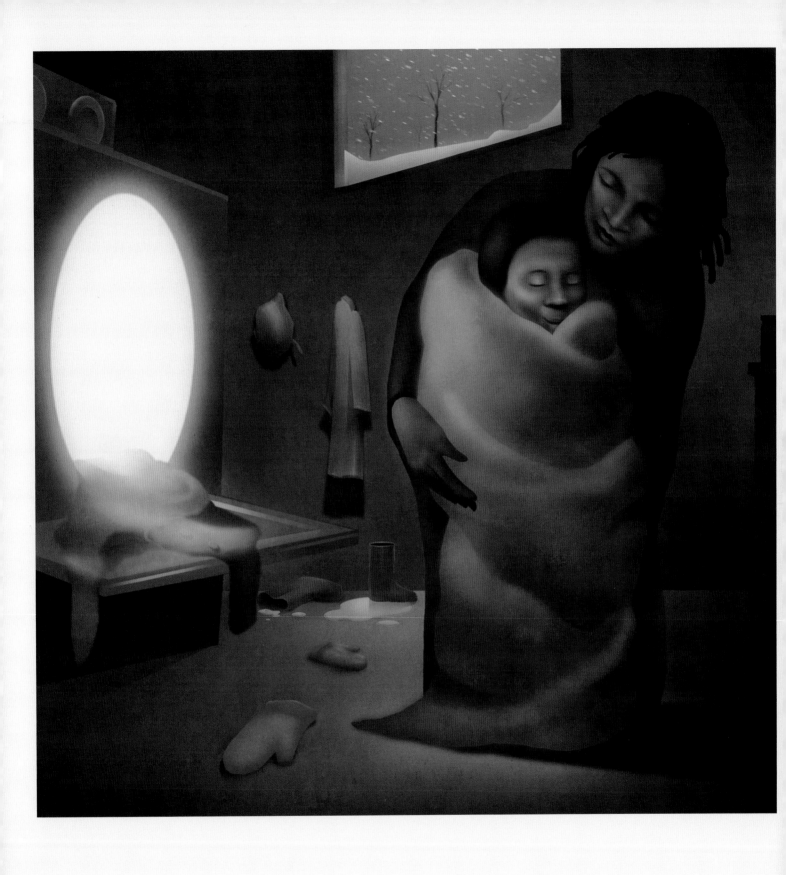

وَكَمْ هِيَ ناعِمَةٌ هذي الْبَطّانِيَّةُ...

وَكَمْ هُوَ لَذيذٌ توتُ الأَرْضِ (الْفَراوِلَةُ)...

وَكَيْفَ يُمْكِنُ أَنْ يُداعِبَ الْمَطَرُ وَجْهَكَ...

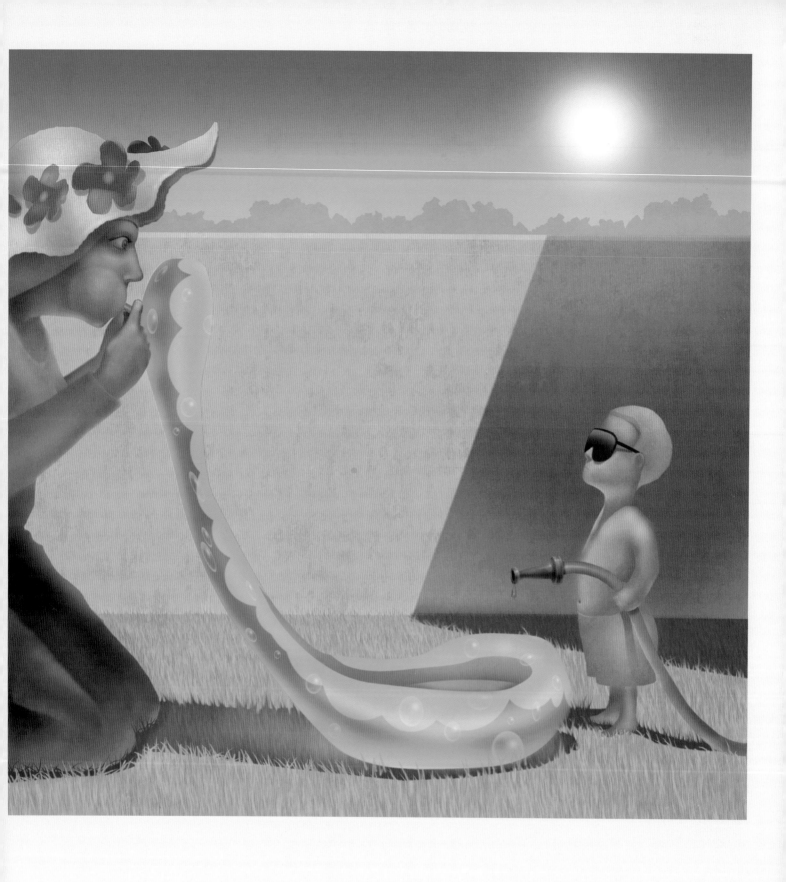

وَكَمْ هِيَ دافِئَةٌ أَشِعَّةُ الشَّمْسِ...

وَكَيْفَ يُمْكِنُ أَنْ يَتْبَعَكَ ظِلُّكَ أَيْنَما تَذْهَبُ.

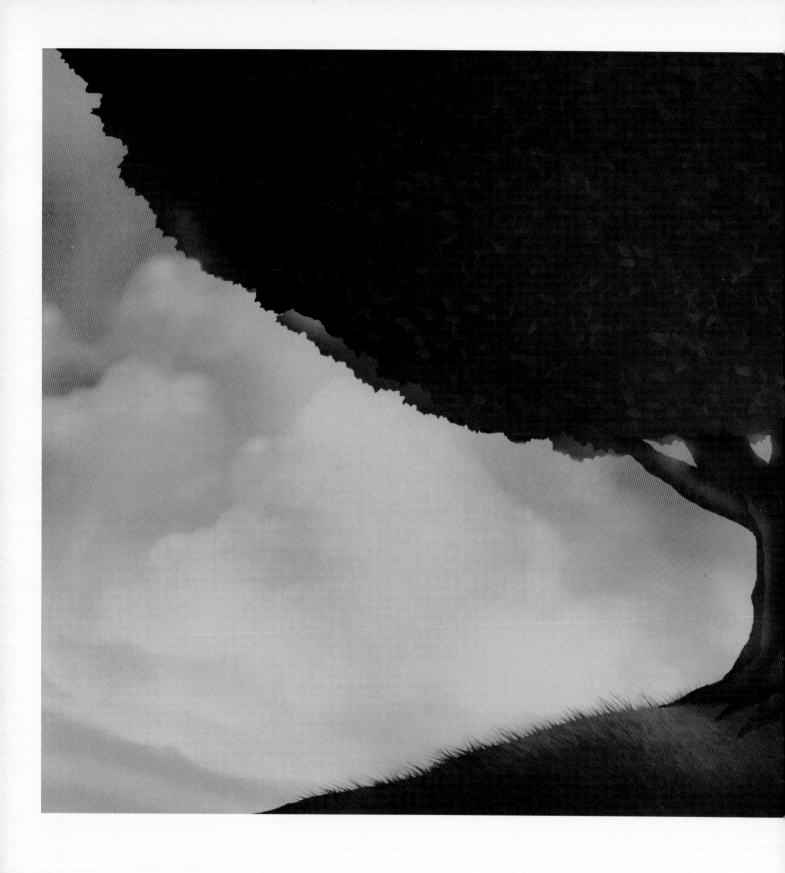

أُريدُ أَنْ أُرِيَكَ ما كانَ هُنا قَبْلَ أَنْ تُولَدَ...

وَكَمْ هُناكَ مِنْ وَسائِلَ لِتَقولَ «مَرْحَبًا».

يا طِفْلِيَ الْجَميلَ! ما أَقْوى صَرْخَتَكَ...

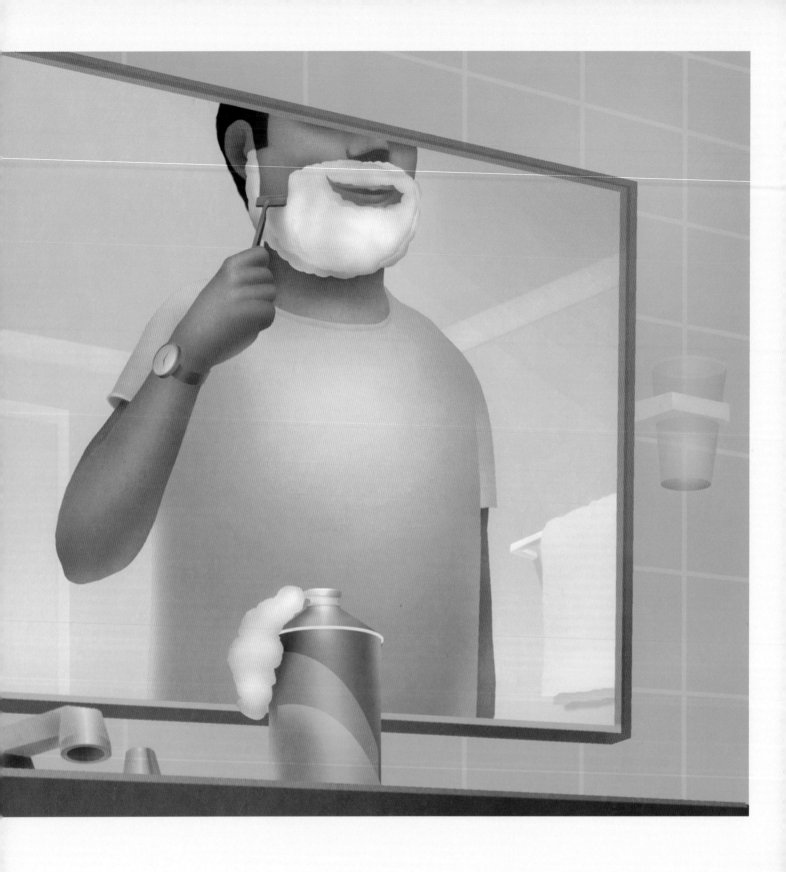

وَما أَحْلى إِشْراقَةُ بَسْمَتِكَ.

أُريدُكَ أَنْ تَسْتَنْشِقَ هَواءَ يَوْمٍ رَبيعِيٍّ...

وَتَسْحَقَ بِيَدِكَ وَرَقَةً خَرِيفِيَّةً.

ماذا تَرى في غُرْفَةٍ مُظْلِمَةٍ؟

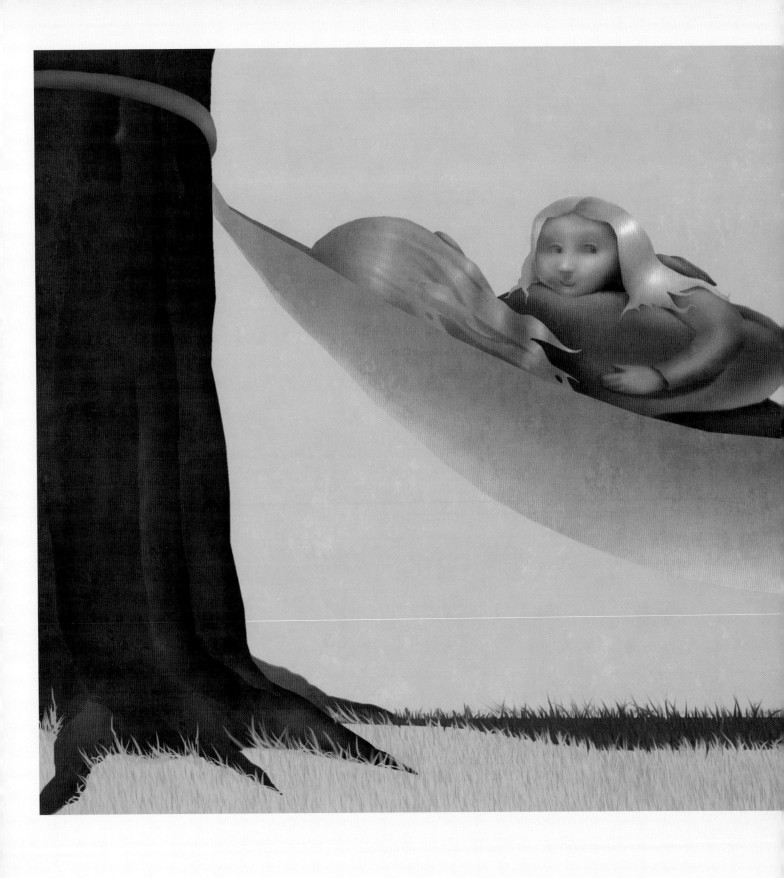

ماذا تَسْمَعُ، وَأَنْتَ تَسْتَلْقي مُرْتاحًا إِلى جِواري؟

يا طِفْلِيَ الْجَميلَ! أُريدُ أَنْ أُرِيَكَ كُلَّ شَيْءٍ...

خاصَّةً حُبِّيَ الْكَبيرَ لَكَ.